Am Pìobaire Breac

Air ath-innse le Pòl agus Gill Hamlyn

Na dealbhan Helen Cann

A' Ghàidhlig Anna NicDhòmhnaill

STÒRLANN • ACAIR

O chionn fhada, fhada, ann am baile beag
Hamelin bha daoine a' gearan mu na radain.
Bha eagal uabhasach air na daoine oir bha
radain a' ruith nan sràidean, agus bha radain
anns na taighean.
Bha radain a' ruith air feadh a' bhaile gu lèir.

Chaidh na daoine chun an àrd-bhàillidh.
“Feumaidh sibh rudeigin a dhèanamh
agus feumaidh sibh a dhèanamh san spot,”
thuirt iad.
“Mura cuir sibh na radain air falbh
feumaidh sibh fhèin falbh!” thuirt iad gu crosta.

“O, dè nì mi?” ars an t-àrd-bhàillidh.

“Saoil cò a chuidicheas sinn?”

Sa mhionaid sin choisich duine a-null

chun an àrd-bhàillidh.

“Cuidichidh mise sibh,” thuirt e.

“’S urrainn dhòmhsa na radain a thoirt

air falbh.”

Bha an duine gle àrd.
Bha còta buidhe agus dearg air,
ad bhuidhe agus dhearg
agus stoc buidhe agus dearg.
Bha pìob aige na làimh.

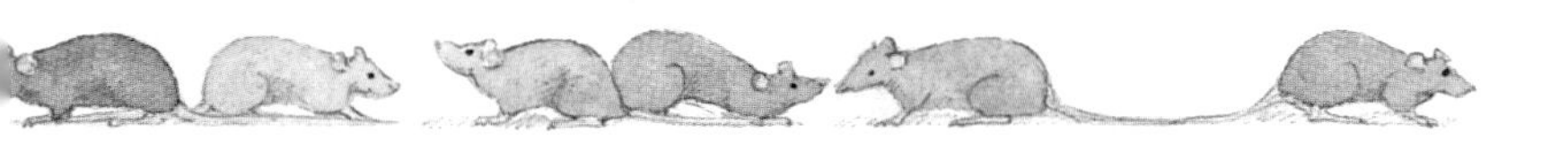

“Ach ciamar a bheir thu na radain air falbh?” ars an t-àrd-bhàillidh.

“Cho luath ’s a chluicheas mi a’ phìob leanaidh na radain mi,” ars an duine. “Bheir mi orra leum dhan abhainn agus chan fhaic sibh tuilleadh iad.”

“Cha chluich mi a’ phìob mura
toir sibh airgead dhomh,” ars an duine.
“O, bheir sinn tòrr airgid dhut,”
ars an t-àrd-bhàillidh.
“Thoir thusa na radain ghrànda air falbh
às a’ bhaile againn.”

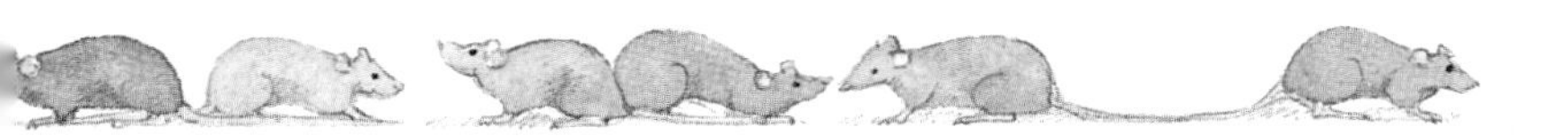

Chaidh an duine a-mach chun na sràide. Shèid e dhan phìob agus bha e cho toilichte a' cluich agus a' cluich na pìoba.

Thòisich na radain a' ruith
agus a' leum a-mach
às na taighean.

Bha radain
mhòra ann,
radain bheaga,
radain ruadha
agus radain
dhubha.

Bha radain sa h-uile àite air an t-sràid.

Dhanns am pìobaire
sìos chun na h-aibhne
a' cluich na pìoba,
agus lean na radain e.

Nuair a leum am pìobaire ann am bàta
leum na radain dhan uisge.
Ach cha b' urrainn dha na radain snàmh.

Bha muinntir Hamelin uabhasach toilichte
oir bha na radain uile air falbh.
Dh'iarr am pìobaire an t-airgead
ach cha robh an t-àrd-bhàillidh agus
na daoine ach a' gàireachdainn.
"Chan eil airgead againn dhut," thuirt iad.

Bha an fhearg air a' phìobaire.

Ruith e a-mach chun na sràide agus chluich e a' phìob a-rithist.

Chuala clann Hamelin uile a' phìobaireachd agus thàinig iad a-mach às na taighean, a' gàireachdainn agus a' dannsa.

Chluich am pìobaire fad an rathaid a-mach
às a' bhaile agus suas dha na beanntan.
Shreap a' chlann dha na beanntan às a dhèidh.
Dh'iarr muinntir Hamelin air a' chloinn stad
ach cha chuala a' chlann ach a' phìobaireachd.

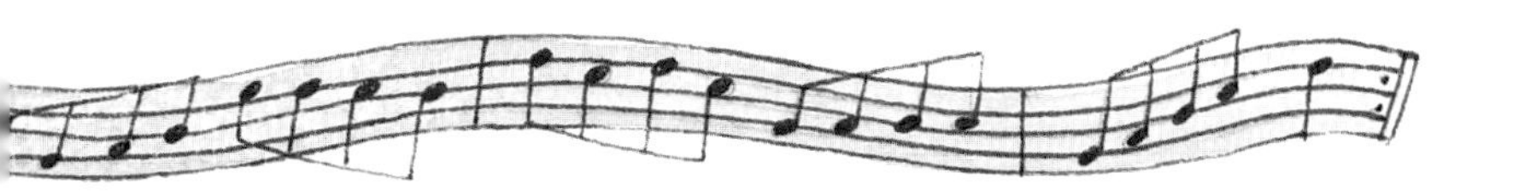

Dhanns am pìobaire agus a' chlann air falbh dha na beanntan, gu tìr sheunta.

Cha robh air fhàgail
ach balach beag
le cas ghoirt aig an
deireadh.
Nuair a ràinig e
mullach nam beanntan
bha a' chlann uile air
falbh.

Thill am balach beag gu Hamelin agus thuirt e, "Dh'fhalbh mo charaidean uile gu tìr sheunta far am bi iad a' cluich agus a' dannsa fad an latha."

"Dè tha thu ag ràdh?" ars an t-àrd-bhàillidh. "Feumaidh sinn am pìobaire a lorg gus an toir sinn airgead dha.

Chan fhaigh sinn a' chlann air ais mura dèan sinn sin."

Choimhead muinntir Hamelin sa h-uile àite airson a' phìobaire, ach cha do lorg iad am pìobaire agus cha do lorg iad a' chlann. Bha na daoine gle bhrònach.

Ach bha a' chlann uabhasach toilichte anns an tìr sheunta. Bha iad a' cluich agus a' dannsa fad an latha agus am pìobaire a' pìobaireachd dhaibh.